WOW!
THUIRT A' CHAILLEACH-OIDHCHE

A' Ghàidhlig le Tormod Caimbeul

tim hopgood

acair

Air an oidhche, nuair a tha sinne sgìth 's a' dol dhan leabaidh, bidh na cailleachan-oidhche a' dùsgadh.

WOW!
THUIRT A' CHAILLEACH-OIDHCHE

Dha Wanda, le gaol

Taing dha Celia Catchpole.
Agus a h-uile duine aig Macmillan
Children's Books, gu h-àraid
Emily Ford agus Kayt Manson.

A' chiad fhoillseachadh sa Bheurla an 2009 le Leabhraichean
Chloinne Macmillan
An deasachadh Beurla seo air fhoillseachadh an 2010 le Leabhraichean
Chloinne Macmillan earrann de dh'Fhoillsichearan Macmillan Earranta,
20 New Wharf Road, Lunnainn N1 9RR, Basingstoke agus Oxford.
www.panmacmillan.com

A' chiad fhoillseachadh sa Ghàidhlig 2013 le Acair Earranta
7 Sràid Sheumais, Steòrnabhagh, Eilean Leòdhais HS1 2QN

www.acairbooks.com
info@acairbooks.com

An tionndadh Gàidhlig Tormod Caimbeul
An dealbhachadh sa Ghàidhlig Mairead Anna NicLeòid

9 8 7 6 5 4

Chuidich Comhairle nan Leabhraichean am foillsichear le cosgaisean an leabhair seo.

Tha Acair a'faighinn taic bho Bhòrd na Gàidhlig.

Fhuair Urras Leabhraichean na h-Alba taic airgid bho Bhòrd na Gàidhlig
le foillseachadh nan leabhraichean Gàidhlig Bookbug

Gheibhear clàr airson an leabhair seo ann an Leabharlann Bhreatainn.

Clò-bhuailte ann an Siona

LAGE/ISBN 978-0-86152-531-7

Sin an saoghal acasan, nan dùisg tron oidhche.

Chì iad san dorchadas le na sùilean mòra cruinn aca.

Ach a' chailleach bheag seo, bha a sròin
a' cur oirre.

An àite fuireach na dùisg fad na h-oidhche mar
bu chòir, nach ann a rinn i cadal mòr. 'S cha do
dhùisg i gus an robh an latha a' briseadh.

"WOW!" arsa cailleach bheag na h-oidhche.

Cha mhòr gun creideadh i a sùilean.

Bha an t-adhar blàth agus iongantach agus **pinc**.

"WOW!" ars a' chailleach bheag,
's i a' faicinn a' ghrian **buidhe**
a' deàlradh tro cheò na
maidne.

"WOW!" ars ise,

a' coimhead sgòthan **geal** mar chanach,

a' seòladh ann an adhar soilleir **gorm**.

"**WOW!**" arsa tè bheag na h-oidhche,
nuair a chunnaic i gu robh duilleagan
na craoibh aice **uaine**.

"**WOW!**" thuirt i,
a' faicinn nan dealan-dè,
cho snog 's cho **dearg,**
a' sgeith seachad.

Chunnaic i iad a' laighe air na dìtheanan **orainds,** a dh'fhosgail bòidheach ann an solas na grèine.

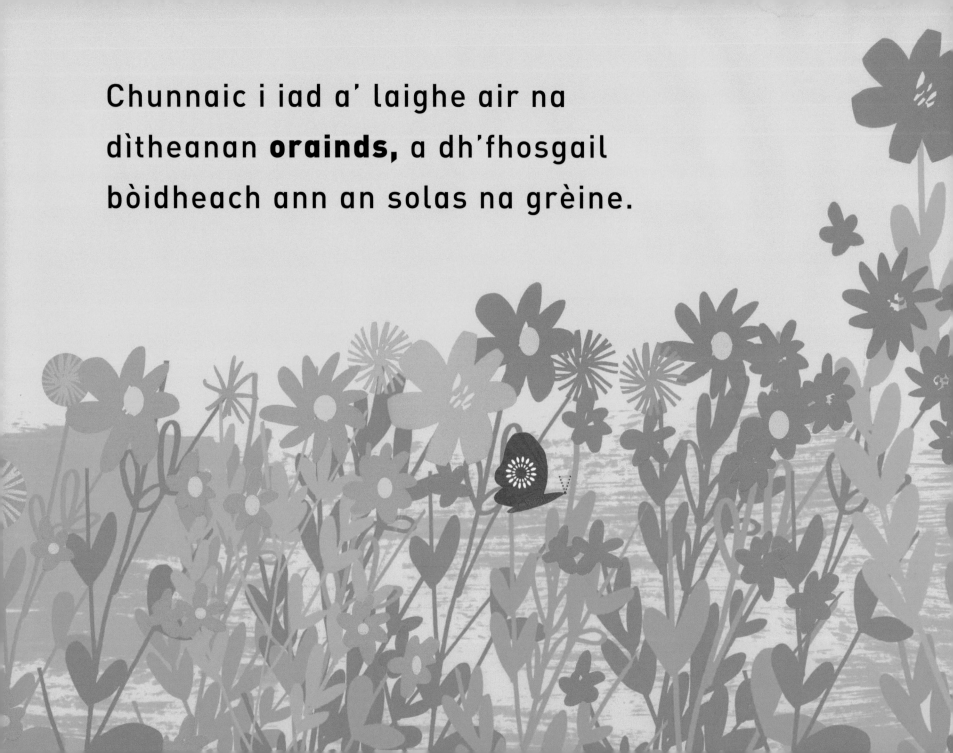

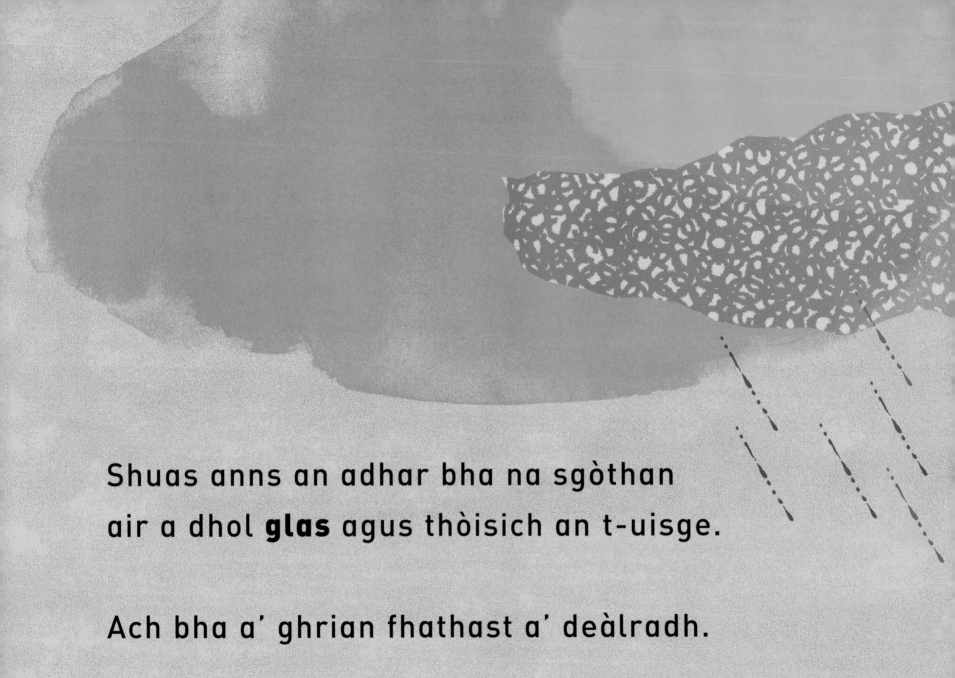

Shuas anns an adhar bha na sgòthan
air a dhol **glas** agus thòisich an t-uisge.

Ach bha a' ghrian fhathast a' deàlradh.

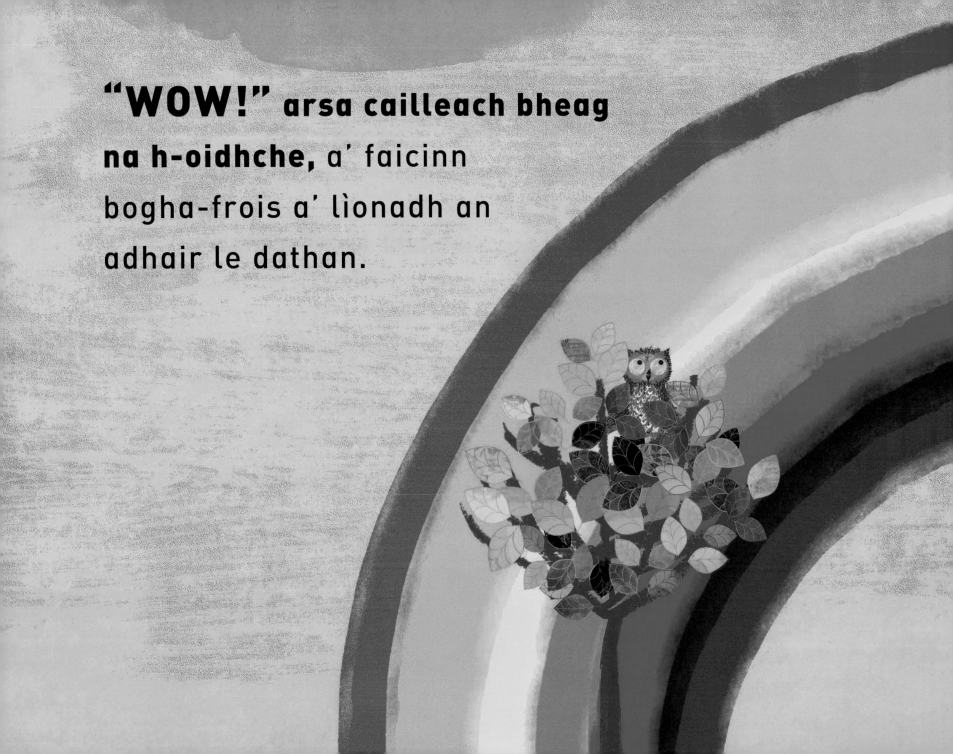

"**WOW!**" arsa cailleach bheag **na h-oidhche,** a' faicinn bogha-frois a' lìonadh an adhair le dathan.

Shuidh i gu toilichte
anns a' chraoibh
a' coimhead ris
a' ghrian a' dol sìos...

. . . agus a' ghealach ag èirigh.

Agus smaoinich i tha an latha
loma-làn dhathan brèagha.

Ach, "**WOW!**" ars ise,
tha an oidhche brèagha cuideachd:
a' ghealach, 's na rionnagan, chan
eil air an t-saoghal cho bòidheach."

Cho bòidheach 's gun dh'fhuirich i na dùisg FAD na h-oidhche dhan coimhead mar a h-uile cailleach-oidhch' eile, dìreach mar bu chòir.

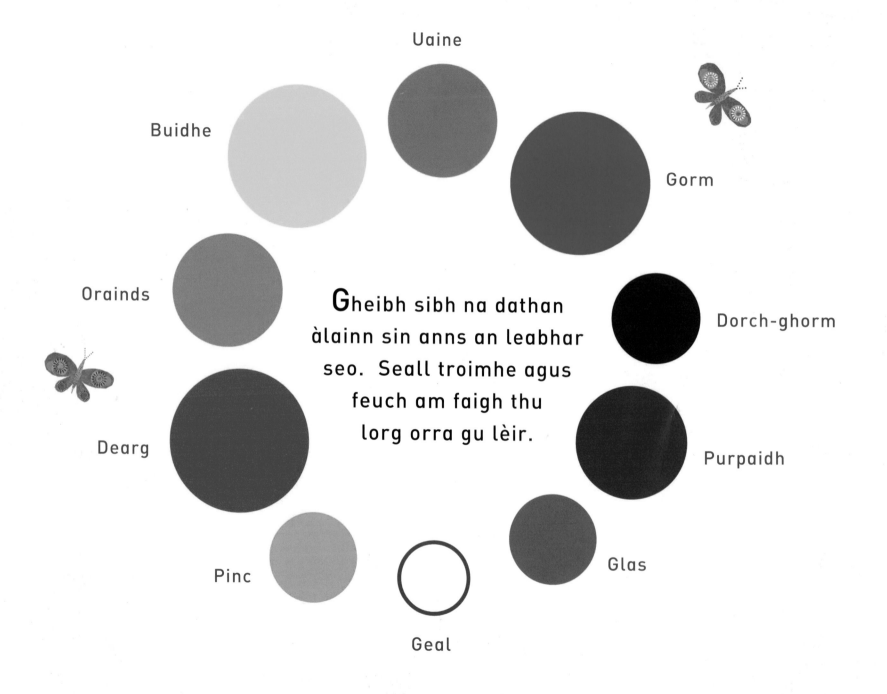

Uaine

Buidhe

Gorm

Orainds

Dorch-ghorm

Gheibh sibh na dathan
àlainn sin anns an leabhar
seo. Seall troimhe agus
feuch am faigh thu
lorg orra gu lèir.

Dearg

Purpaidh

Pinc

Glas

Geal